TESTIMONE DEL SECOLO
JOHN PHILLIPS

FOTOGRAFIE 1936-1982

olivetti

La pubblicazione di questo volume
fa parte del programma di iniziative
culturali della società Olivetti, e viene
realizzata in occasione della mostra
"Testimone del secolo: John Phillips.
Fotografie 1936-1982".

Grafica: Roberto Pieraccini

INDICE

PREFAZIONE

Vi sono immagini (appartenenti forse a un'epoca anteriore alla presente che dall'immagine è stata risucchiata e alla fine travolta fino al rovesciamento di ogni gerarchia dell'esistere: certo vi fu un tempo, ormai così remoto alla mente, in cui le immagini c'erano perché c'erano gli eventi di cui esse davano testimonianza, immagini come conseguenza dei fatti, così come si diceva dei nomi che fossero consequentia rerum; *oggi, come è pacifico, in gran parte i fatti avvengono solo per poter dar luogo ad immagini, che sono il vero reale, di cui essi costituiscono appena il futile, artificiale epifenomeno), rimaste impigliate nella memoria visiva e non più cancellatesi, ma all'apparenza dotate di vita autonoma, libere da ogni identificazione o riferimento con chi un giorno si è trovato a catturarle come un momento per ciò stesso divenuto significante ed estremo nello svolgersi e trascorrere di ogni vicenda umana, documento oggettivo, emblema, segno costitutivo e, nel suo stesso manifestarsi, compiuto di ciò che all'opposto, come tutto di noi, è in perenne mutare e viene ogni giorno pareggiato e travolto dall'inesorabile inerzia del tempo.*

Quando l'entusiasmo di Lanfranco Colombo ci presentò in carne ed ossa il fotografo John Phillips, che pure trascorre qualche mese dell'anno a Milano a un centinaio di passi dai nostri uffici, dove ha anche casa per aver sposato una milanese di famiglia illustre come sono i Borletti, lì per lì non mi venne in mente nulla, se non un nome appartenente al periodo d'assalto di "Life", quando un fotografo, un fotoreporter, doveva essere uno spericolato vagabondo inseguitore senza tregua dell'eccezionale dell'esistenza, e per ciò stesso adattabile ad ogni ambiente e circostanza del vivere, a cui qualche volta poteva accadere di restar impigliato nelle maglie delle sue stesse avventure, o misteriosamente sparire nelle profondità avvolgenti della vita. Poi, esaminando criticamente un saggio del suo lavoro (ma la fotografia mi pare materia dove una certa passionalità è pur necessaria anche in chi guarda, un certo coinvolgimento dell'animo, una nostalgia della memoria, una complicità, un cedimento all'immaginazione), improvvisamente mi venne fatto di mettere a fuoco con l'uomo che ci stava di fronte una e poi un'altra di quelle immagini, che mi erano così consuete, così fissate e chiare nella mente – dopo alcuni decenni di lavoro in una rivista che all'immagine faceva qualche spazio, a cui si sono sovrapposti poi altri decenni di responsabilità nell'immagine Olivetti, durante i quali la consuetudine con la fotografia, praticamente di ogni genere, è stata vicenda quotidiana – da essere alla fine diventate soltanto se stesse, quasi con uno spessore di anonimità necessaria al loro stesso valore di verità universale: c'erano stati eventi che ricordavo di avere, non percepito ma, non trovo altra parola, forse materializzato, *attraverso qualcuna di queste foto-grafie, spesso riapparse negli annuari e nelle pubblicazioni di settore, che guardate ora tra montagne di altre, nella prospettiva di un lavoro durato un cinquantennio, assumevano, di fronte al sorridente, affabile gentiluomo che le illustrava una per una, con una aneddotica straordinariamente lucida nel ricordo, pungente, che le restituiva inequivocabilmente ad una mano, ad un occhio, ad una precisa persona che* in quel preciso momento e in quella situazione *le aveva scattate, una vibrazione e una capacità di risonanza più forti, una verità più profonda proprio nella sua soggettività, una ragione, una presenza, un* autore *infine (poiché in realtà nulla di quel che al mondo esiste è anonimo, e non vi sono cose, invenzioni, pensieri nati nell'indistinto collettivo; solo che nel più dei casi l'autore è stato inghiottito dal nulla della perduta memoria, e le cose possono sembrare spesso prodotti delle cose stesse).*

Di lì, da quell'esame prese a configurarsi la proposta di una mostra e di questo libro, che potessero dare un'idea, non raccorciata ed essenziale, ridotta a qualche scatto di esemplare assolutezza, ma pur – com'era fatale – nella limitazione delle possibilità di approfondimento e di scelta, sufficientemente articolata nel tempo e nelle tematiche, di John Phillips fotografo, anzi, perché di ciò si tratta, fotoreporter, parola da intendersi nel senso più umile del mestiere e della disponibilità, ma anche in quello più nobile, e maggiore, di testimonio, in molte circostanze solitario ed unico, delle vicende dell'epoca (senza approfondire di più il significato di testimonianza: e lasciando quindi del tutto da parte l'eccesso, a me pare, di speculazione teorica che gli ultimi decenni di critica fotografica di derivazione soprattutto semiologica sono andati costruendo attorno all'idea di significante, di soggettivo e oggettivo nella fotografia, ai valori che essa realmente, anche quando inconsapevolmente, esprime, alle ideologie di cui è ineluttabilmente portatrice, alle deformazioni a cui la scelta stessa dello strumento tecnico la condanna: da Susan Sontag a Roland Barthes, per citare solo due autori fra i più acuti e intransigenti, molte di queste analisi così affilate e perforanti rivelano la loro esigua capacità di utilizzo, se pur non si frantumano contro l'evidenza della prova: quando vedo la serie di istantanee scattate nel 1894 dal conte Primoli dei "Galeotti che scortati dai carabinieri escono dal carcere di Napoli e si avviano all'imbarco per l'isola di Ponza", o la foto dell'ultima esecuzione capitale nella Roma dello stato pontificio, o, in questo libro, le due immagini affrontate, nn. 99, 100, di una strada del quartiere ebraico di Gerusalemme il 28 maggio 1948 e poi, stessa ora, il 29 maggio dopo la distruzione seguitane, so che tipo di realtà queste immagini hanno fissato dell'evento che intendevano documentare, e in che considerazione tenerle).

Torniamo a Phillips. I due registri che il libro sviluppa (ma si potrebbe dire che il secondo tende ad assorbire il primo) sono da una parte le foto di eventi, dall'altra quelle che ormai tutti chiamano di costume, ma che meglio si intendono a guardarle come documenti di vita sociale, proprio nel senso che la prima scuola delle "Annales" dava negli anni trenta a questa parola, dissacrando e a un tempo umanizzando il concetto di storia, togliendolo dalle limitazioni della narrazione di eventi soprattutto politici, dinastici, o militari, delle cronologie meccaniche, spesso insignificanti, l'histoire événementielle, *per mostrare la realtà delle strutture dure, resistenti della società umana, i suoi lenti sviluppi (che hanno portato alla formulazione dell'idea di* longue durée*), l'intrecciarsi dei rapporti economici, culturali, di* mentalità, *altra parola-chiave: Marc Bloch fu forse il primo a vedere come ogni documentazione, e quella fotografica fra esse, perfino la fotografia aerea, allora una novità, applicata allo studio della forma dei campi, stabile nei secoli, all'infittirsi, arrotondarsi o sparire delle siepi (residui della* vaine pâture*), all'allungarsi o chiudersi della forma degli abitati, dovesse diventare uno strumento fondamentale di analisi sociale.*

8

Ma Phillips cerca prima di tutto l'uomo, le epifanie impreviste dell'umano, attraverso scatti di obiettivo che sono sì come dei brevi, intensi saggi di introspezione psicologica, o fulminee categorizzazioni sociologiche, ma che insieme, attraverso l'eleganza di un gesto, la fissità perduta di uno sguardo, l'antica nobiltà di una fisionomia, l'espressione fuggitiva di un sentimento, l'incongruità di un rapporto, di una situazione, esprimono il sentimento, l'inafferrabile, lacerata, ironica, individuale avventura della vita, lo stupore del nudo esistere, l'abbandono inconsolato di un addio, la neutralità sigillata della morte.

Anche dove il suo fotogramma (ne basta sempre uno a circostanziare un accadimento) sembra più esilmente aneddotico, vorrei dire più "longanesiano", quasi la folgorazione casuale di un momento di distrazione insinuatosi per un errore nelle pieghe diritte della storia, cattura piuttosto di un tic che di un carattere, in realtà l'osservazione prolungata del dettaglio comincia a far passare, come sulle striscioline di carta dei vecchi telegrafi, una successione di dati di natura sociale, piccole, fondamentali connotazioni culturali, particolari di un vestito, di un atteggiamento, di uno sguardo, di un ambiente, che danno al racconto una dilatazione, un pathos, una risonanza che ne fanno elementi in qualche modo necessari alla comprensione "storica" di un cinquantennio che ha visto i più sconvolgenti cambiamenti nella sociologia umana, frantumazioni di classi, sradicamenti, livellamenti nella sofferenza, esplosioni di crudeltà, insensatezze, riaffermazioni, malgrado tutto e dalle voragini più nere della disperazione esistenziale, delle ragioni inestinguibili della vita, ma che Phillips evoca e insegue sempre attraverso il caso individuale, la storia singola, l'esplorazione di quella superficie così indifesa e misteriosamente remota che è il volto umano. E ciò gli riesce proprio nel momento in cui il suo fotogramma sembra più "qualunque", scattato senza alcuna preoccupazione di ricercatezza formale, senza alcun divismo di mestiere, perfino sviluppato senza nessuna di quelle attenzioni da rito magico di certi "grandi" della perfezione accademica. Il suo è sempre – qui sta la sua qualità e vorrei dire la sua grazia – un lavoro da fotoreporter, *che deve cogliere l'attimo non la posa, la naturalezza non l'intenzione, la casualità non il destino. Il destino è nella cosa, non nelle ambizioni demiurgiche dell'operatore.*

Si guardi qualcuna delle sue fotografie che ritraggono i grandi della terra: quella, per esempio, "storica" del convegno di Teheran (n. 66): Stalin, Roosevelt e Churchill sono seduti su tre sedie una diversa dall'altra: Churchill sulla più bassa sembra quasi accovacciato, isolato nel suo corruccio; Stalin, il più composto, irrigidito e a schiena dritta, le dita incrociate, è la vera sfinge dell'incontro; un messaggero sta dicendo qualcosa a Roosevelt che si è tolto il pince-nez *e pare molto soddisfatto delle futilità evidenti che gli vengono sussurrate. Ora che conosciamo le decisioni prese in quel convegno – lo sbarco in Francia e la sistemazione dell'Europa – la fotografia è parlante: l'apparente incongruenza di quell'intruso è l'elemento significante del documento. O quella di Tito in grande uniforme ad Atene (n. 125) che illustra minuziosamente a Federica di Grecia, china su di lui, il significato delle decorazioni (vere immense patacche) che gli ornano l'uniforme: il senso della foto lo si coglie meglio guardando nella pagina a fronte un negozietto di rigattiere a Belgrado: a parte una monna Lisa, il bugigattolo sembra smerciare solo ritratti di Tito, foto incorniciate, tele, gessi. Pure Phillips ha grande simpatia per Tito al cui quartier generale (n. 68) ha trascorso drammatici giorni (si veda la terribile immagine n. 69, con quella teoria di stampelle brancolanti nella notte): ma sembra più difficile mantenersi negli anni felici all'asciutta altezza dei tempi migliori. O quella dell'ingresso (1948) di re Abdullah di Giordania nella città vecchia di Gerusalemme (n. 102): si guardino queste facce, una ad una, questi abbigliamenti svolazzanti, questa regalità quasi da fantasma su quello sfondo essenziale di architetture di una città dieci volte distrutta e dieci volte ricostruita, più forte di ogni evento umano.*

9

Una parte rilevante di queste fotografie, che chiamare "politiche" sarebbe riduttivo, non può tuttavia venir guardata fuori della prospettiva storica del dramma europeo che ha tagliato il secolo in due. Ne fanno parte come schegge e frammenti alla deriva, lo spiegano, lo rendono credibile. Si veda la sequenza relativa al fatale 1938, l'irruzione dei nazisti in Austria, il saluto hitleriano ripreso di spalle, consenso che non ha volto (n. 32), la gioventù viennese conquistata alla svastica, che procede orgogliosa dei suoi emblemi tra gente che non vuol guardare (n. 33), le due oscene energumene (n. 34) acclamanti in piedi sull'auto scoperta, orride come evocazioni goyesche (o brechtiane), le miti strade praghesi (n. 37) dell'occupazione autunnale, pavesate di bandiere nazi, e, nella pagina a fronte, l'addio, dal finestrino del treno che la porta a occidente e poi in America, dell'attrice, carica di fiori, che se ne va mandando, con la mano guantata, un bacio quasi da teatro ad un invisibile pubblico fino all'estremo fedele, dal quale è doveroso congedarsi (per sempre?) senza cadute di stile (n. 38), le tre sorelle (n. 35) appena toccate dal pallido sole del ghetto di Varsavia, le misere scarpette commoventi, sorrisi su cui ormai si posa l'ombra del destino (e, a guerra finita, le due figurine solitarie, n. 74, che attraversano le macerie di ciò che era il ghetto, di cui non resta più pietra su pietra). E poi, lo sguardo, inevitabile, del reduce da Auschwitz, col numero del campo tatuato sul braccio (n. 77), la sciarpa, il berretto, le ghette anacronistiche, alle spalle il ritratto di Francesco Giuseppe, gli occhi vitrei del principe Elemer, ormai precipitato nell'ingranaggio, che sembrano chiedere: è davvero la fine? (n. 78); i processi e le esecuzioni dei criminali di guerra, cadaveri sulla strada, le mani irrigidite che la pietà del prete inginocchiato sul marciapiede tenta di comporre (nn. 79, 80), lo strillone di Budapest che tiene il suo posto come una sentinella, mentre infila in un borsone il mazzo di banconote da inflazione dell'ultimo giornale venduto (n. 81), e, voltando pagina, l'abdicazione di Umberto, col patetico gentile di quei ritratti appesi al collo dei due giovani e una cortina di occhi ridenti più forte dell'emozione del momento (n. 85), lo sbarco degli scampati ai forni (n. 103) nella terra dei padri ("Ricordate che questo è stato / Vi comando queste parole"), il municipio del villaggio nella Cabilia algerina (si vedano, n. 131, per chiudere su queste immagini che danno un volto alla storia, quelle due figure in piedi tra le quali la differenza di uno scalino sembra stabilire una gerarchia invalicabile: basta questa fotografia a dir tutto sull'ultimo atto del colonialismo europeo).

Ma ciò che mi sembra fare il fascino particolare di questa saga per immagini è il suo continuo trascorrere – senza stacchi traumatici, senza salti di tono, così com'è della vita che trapassa solo punteggiando qua e là di qualche gesto più intenso, di qualche parola più gridata, l'immemore sprofondare del tempo – dalle scene degli eventi che hanno cambiato, questi sì, il mondo, alla rappresentazione del quotidiano, di ciò che ha significato per il suo non averne, se non per qualche segno che basta a fissare la verità intangibile di un momento, il senso di una condizione, la lancinante ironia di un accostamento all'apparenza casuale, che mette in moto nei sotterranei della memoria rimembranze perdute che quel segno magicamente risveglia e rimette a fuoco: si vedano, per fare qualche esempio, l'innocenza di quella spiaggia danese del 1936 (n. 1), ancora ignara di tutto, la lunga sequenza di vita inglese a cui Phillips riserva gli accenti di una più resistente nostalgia (ma senza trascurare l'altra faccia di tanto composto decoro: vedi, n. 7, i due ex combattenti mutilati, ridotti a vendere fiammiferi sul marciapiede), le fotografie di ambiente francese, di una sociologia di così pungente, bonaria e quasi complice precisione (si veda la figurina vestita alla marinara nel ristorante marsigliese, n. 23, che anticipa di trent'anni, in un decoro meno rarefatto e alto-borghese, il Tadzio viscontiano della Morte a Venezia, o le due immagini affrontate della messa celebrata in quello che fu un microscopico caffè, che sulla scristianizzazione del *paese dice più di un'inchiesta, mentre invece risulta al completo il luogo di decenza dove i mancati fedeli scaricano gli eccessi di troppo lunghe bevute, nn. 111, 112), l'America (nn. 46-55) affettuosamente, impietosamente grottesca degli anni quaranta (ma vedi la foto, n. 50, che spacca la sequenza in due, dei volti dagli occhi indimenticabili di quei due contadini del Québec), il gruppo di famiglia nel deserto gelato della Patagonia, con i due cani ai lati, i soli che stanno posando (n. 44); e il pazzariello di Napoli, taglio magistrale, con un movimento in crescendo (n. 123), il matrimonio contadino in Transilvania, altro saggio di sociologia per immagini, la fotografia forse più accoratamente poetica del libro (n. 36), le due drammatiche apparizioni di pazienti nel manicomio di Verona (nn. 135, 136), le foto di Leningrado e di Mosca (nn. 148, 149), descrizione calligrafica di una Russia solitaria, immersa in un silenzio che sembra di secoli, immutabile e come perennemente separata...*

E infine i numerosi ritratti, fra cui mi sembrano fulminanti, tra tanti di artisti (ma anche altri sono immagini parlanti, come quelli affrontati del duca di Marlborough, n. 105, e di Clement Attlee, n. 106, che dei due personaggi dicono tutto, o il De Gasperi, improvvisamente attento a qualche osservazione non benigna, n. 121, o i tre fratelli Visconti ripresi alla Certosa di Pavia, che guardano tra corruccio e perplessità, n. 141, o un Roberto Longhi pacificato dalla sigaretta, n. 143), lo Stroheim (n. 117), veramente perfetto, seduto al tavolo di lavoro a cavalcioni di una sella, i calzettoni rigati sotto i leggendari pantaloni alla cavallerizza, lo sguardo delle grandi occasioni, e un Eduardo in tenuta da Napoli milionaria *(n. 118), la coperta stretta al petto, gli occhi foschi che finalmente hanno capito, entrambe fotografie ormai passate alla storia (ma si guardino anche il Morandi sogghignante con gli occhiali tirati sulla fronte, n. 145, un Fellini mal disposto, a cui qualcosa non va, n. 139, e, n. 146, lo Zavattini confusamente asseverativo di sempre...).*

Possiamo forse concludere. John Phillips ha fatto (o su di lui sono stati fatti) altri libri (uno, fra gli altri, interamente di "profili italiani", omaggio a un paese a cui è profondamente legato). Non so valutare quante siano le fotografie che ha scattato in un cinquantennio di lavoro professionale (nel suo laboratorio di New York si direbbero, a guardare gli armadi stipati di pellicole ordinate, centinaia di migliaia), e quelle qui presentate sono appena una minima scelta. L'unica possibile? A me pare la più equilibrata possibile, quella che non solo ci fornisce un ritratto veritiero dell'autore, delle sue propensioni, del suo temperamento, del suo modo di intendere la fotografia (non voglio dire della sua tecnica, problema che mi pare non lo sfiori, dandolo per acquisito una volta per tutte), delle cose che irresistibilmente lo catturano e a cui gli sarebbe impossibile resistere, una sua biografia intellettuale, insomma, con i caratteri della legittimità, da cui viene fuori con molta chiarezza la natura profondamente europea della sua cultura, e vorrei dire della sua civiltà e umanità, ma al tempo stesso un ritratto, certo fornito appena per baleni, per momenti, per pause del destino, dell'epoca che abbiamo vissuto, che ci è sì alle spalle, ma dalla quale, nel suo privato e nel suo pubblico, ci è impossibile staccarci, perché alla fine è la nostra vita, quello che oggi siamo, finita l'età della speranza, quello che abbiamo salvato. Queste immagini, siamo noi stessi che guardiamo, noi che veniamo guardati (anche se da qualcuna si vorrebbe volgere lo sguardo, presi da troppo raccapriccio).

Valeva dunque la pena che Olivetti promuovesse la pubblicazione di questo documento, così come la mostra di cui il libro è insieme il complemento e lo specchio.

Renzo Zorzi

LA MIA STORIA DI FOTOGRAFO

Mentre sceglievo le fotografie per questa mostra, mi sono trovato a ripercorrere la mia carriera di fotografo e anche a riflettere su quanto sia mutato, negli ultimi cinquant'anni, lo status sociale di questa professione. Io, che nel 1936 ero un fotoreporter, vengo oggi considerato un "osservatore dei nostri tempi". Noi fotografi non siamo più guardati dall'alto in basso: siamo degli "arrivati", e per parlare di fotografia si ricorre oggi alla stessa prosa artificiosa che si usa per la pittura, la scultura o la musica.

Sono cresciuto fra le macchine fotografiche e i reagenti perché mio padre era un appassionato fotografo dilettante. Non ho mai saputo con esattezza quando avesse cominciato a scattare fotografie, ma mia madre ricordava che nel 1904, allorché giunse negli Stati Uniti per sposarla, aveva con sé una macchina fotografica. Né rinunciò al suo hobby quando si trasferirono in Algeria dove acquistarono un'azienda agricola. Fin dalla mia nascita, nel 1914, mio padre mi usò spesso come modello per sperimentare le lastre a colori Autochrome.

Durante la prima guerra mondiale vendette la fattoria e trasferì mia madre e me ad Algeri prima di arruolarsi nell'esercito francese. Dovevo avere circa tre anni quando fu scattata la fotografia in cui ho in testa un berrettino militare che mio padre mi aveva inviato dalla Francia: il fotografo mi aveva fatto appoggiare il gomito destro a una colonna greca di cartapesta e accavallare la gamba sinistra sull'altra; così, costretto a mantenere quella posa precaria davanti a un fondale che rappresentava un lago alpino, ondeggiai e finii per ruzzolare all'indietro trascinandomi il lago sulla testa.

Con ogni probabilità ho respirato l'odore acre dell'iposolfito di sodio ben prima di percepire l'intenso profumo dei gelsomini che i venditori ambulanti arabi offrivano nei caffè all'aperto durante le calde notti d'estate. So per certo di aver fatto il mio primo bagno in una normale vasca quando andai a trovare a Losanna il nonno svizzero. Fino a quel momento mi avevano energicamente strofinato ogni sabato sera in una tinozza per il bucato, dato che mio padre aveva trasformato in camera oscura la stanza da bagno dell'appartamento di Algeri.

Siccome oltre a essere un fotografo dilettante era un inglese eccentrico, per coltivare il suo hobby mio padre aveva bisogno di più attrezzatura e più spazio di qualsiasi professionista. Fra un pasto e l'altro il tavolo della sala da pranzo era cosparso di aggeggi fotografici, mentre nella stanza da letto dei miei genitori venivano appese ad asciugare le copie stampate. Ho passato tanto tempo sotto

13

la fievole luce gialla della camera oscura a osservare mio padre che faceva emergere le immagini dalla superficie intatta della carta sensibile, agitando leggermente lo sviluppatore, che da bambino non ho mai avuto paura del buio. Non posso dire altrettanto per il rumore degli spari, dopo che mio padre mi portò sul molo del porto di Algeri per fotografare l'ingresso della flotta inglese nella baia: al rombo delle salve di cannone mi gettai a terra terrorizzato e per anni ho detestato i numeri del circo con le bestie feroci, in cui i domatori sparavano a salve.

Nelle nostre passeggiate domenicali, mio padre portava sempre con sé la reflex, mentre io reggevo il treppiede di legno. Ho trascorso interminabili ore in posa sul balcone del nostro appartamento, mentre lui, con la testa sotto il panno nero, mi ingiungeva di smettere di agitarmi.

Avevo undici anni quando, nel 1925, mio padre decise di trasferirsi a Parigi. Ci installammo allo Studio Hotel, proprio dietro l'angolo del Café du Dôme, a Montparnasse. Mio padre aveva progettato di aprire uno studio fotografico specializzato in ritratti a colori, ma nel vortice della vita eccitante che conducevano i rappresentanti della "lost generation" sulla Rive Gauche dimenticò lo scopo originario del nostro trasferimento in Francia.

Parigi 1954. John Phillips e Man Ray al Café du Dôme.

Quando non ero a scuola, mi aggiravo senza posa fra i tavolini del Café du Dôme, mentre mio padre si perdeva in lunghe discussioni con amici come Man Ray: loro due passavano in rassegna ogni aspetto del surrealismo applicato alla fotografia, dalla tecnica della solarizzazione alla possibilità di ricreare fotograficamente la Via Lattea cospargendo di segatura una lavagna. Durante una di quelle sedute, Man Ray parlò a mio padre della *Corazzata Potëmkin*, un nuovo film russo che aveva appena visto.

Proprio il giorno successivo l'insegnante di lettere ci assegnò un tema sul nostro film preferito e mentre i miei compagni si impegolavano nel racconto delle imprese di Tom Mix e Rin Tin Tin, io scelsi di parlare del *Potëmkin*. Non avendo visto il film, ripetei come un pappagallo quel che ero riuscito a cogliere del discorso di Man Ray, descrivendo l'avanzata inarrestabile dei soldati con la baionetta inastata e quindi la sequenza della carrozzina che precipita sbandando giù per l'ampia scalinata nel momento in cui i fucili cominciano a sparare, ecc. ecc. Anche se in un istituto come l'Ecole Alsacienne gli allievi brillanti erano la norma (io ci ero entrato per raccomandazione), riuscii a impressionare favorevolmente l'insegnante e a goderne la stima finché un sabato sera quello non capitò al Café du Dôme dove io sgranocchiavo un wafer appoggiato al banco del bar, mentre mio padre stava discutendo con il fratello di Gertrude Stein, Leo. Questi infatti si era posto il problema, nel suo recente manoscritto *The ABC of esthetics*, se la buona arte fosse migliore della cattiva e, nel caso che lo fosse, come si potesse dimostrarlo. Capita al volo la situazione, l'insegnante si rese conto di essere stato raggirato da un imbroglione di dodici anni e mi apostrofò con un indignato: "Sei un ciarlatano!".

Durante le vacanze di Pasqua del 1927 ci trasferimmo a Nizza, perché mio padre aveva deciso che in quel momento la Riviera era il luogo dove avrebbe trovato clienti fra i ricchi inglesi e americani che vi soggiornavano. Purtroppo però diventava talmente amico dei clienti prima ancora di consegnare loro i provini che non si decideva mai a farseli pagare.

Destino volle che ci sistemassimo in un appartamento due piani sopra "Paris Photo", un piccolo laboratorio fotografico di proprietà di Monsieur Pansier, un gioviale francese di mezza età che ben presto strinse amicizia con mio padre. Passai le vacanze estive come apprendista di Pansier: la domenica inserivo i rullini nelle Box Brownie dei clienti che ce li riportavano impressionati il lunedì mattina. Ne seguivo lo sviluppo e la stampa; facevo asciugare, ritagliavo e selezionavo le copie stampate, imparando via via un sacco di cose sulle abitudini e la moralità del vicinato. Le macchine fotografiche hanno la specialità di rivelare il lato erotico degli esseri umani.

Imparai anche a rimediare gli errori. Una volta qualcosa non funzionò nello sviluppatore e settantadue rullini uscirono dalla vasca tutti chiazzati. Poiché si trattava di fotografie scattate sulla spiaggia, dicemmo spudoratamente ai clienti che c'era della sabbia negli otturatori, invitandoli a lasciarci le macchine fotografiche da riparare. La domenica seguente restituimmo settantadue macchine "riparate" gratuitamente, guadagnandoci la simpatia dei clienti.

Spesso Pansier veniva incaricato di fare fotografie commerciali, e io lo accompagnavo per aiutarlo. Fra i nostri clienti ci fu anche un'agenzia immobiliare che affittava appartamenti in Riviera esponendone le fotografie nella sua sede di Londra. Il nostro successo era dovuto al saper fotografare un minuscolo balconcino con un grandangolo, così da dare l'impressione che fosse abbastanza ampio per poterci fare la prima colazione.

Un'altra delle nostre specialità erano i banchetti. In questo caso io m'inerpicavo su una scala a pioli e davo fuoco a un vassoio di polvere di magnesio che si accendeva sibilando con un lampo accecante, mentre un fungo di fumo nero si levava verso il soffitto.

Nel 1931 Pansier fu nominato fotografo ufficiale della città di Nizza e io lo aiutai a realizzare servizi fotografici promozionali. Ritraemmo così fanciulle in abitini leggeri, e con la pelle d'oca, che gettavano svogliatamente mazzetti di fiori durante la "Bataille des Fleurs", allestita verso la metà di febbraio per far credere agli stranieri che in inverno la Riviera era un luogo caldo e assolato. Fotografammo concorsi di bellezza, imparando a tener testa alle aggressive madri delle concorrenti. Scattammo fotografie di bizzarre mostre di automobili, chiamate "Concours d'Elégance", in cui affascinanti signore troppo profumate gareggiavano per il primo premio a bordo di lussuose automobili guidate da autisti in uniformi color pastello.

Questo genere di lavoro mi consentiva di tenermi aggiornato sugli avvenimenti della città, persino per quanto riguardava i morti illustri di Nizza. In tali occasioni Pansier e io ci presentavamo a casa del defunto in abito scuro e, camminando in punta di piedi, porgevamo a occhi bassi le condoglianze e insistevamo perché ci lasciassero soli con "l'estinto" per scattare le fotografie. "Sarebbe troppo penoso per loro" suggeriva Pansier in tono pacato rivolgendosi ai congiunti in lutto. Ma non appena la porta si chiudeva alle nostre spalle ci toglievamo la giacca e smettevamo di bisbigliare. Mentre Pansier studiava la salma con occhio professionale, mettendo in ordine file di medaglie o risistemando un rosario fra le mani giunte, io aprivo le tende per far entrare la luce naturale perché la polvere del lampo al magnesio avrebbe lasciato un sottile strato nero sul catafalco.

Fra tutti i trucchi del mestiere che mi insegnò Pansier, il più importante fu il sistema per penetrare in un luogo in cui non fossero ammessi né fotografi né macchine fotografiche. La sua tattica consisteva nel dare l'impressione di avere tutti i diritti di essere lì. Non dimenticherò mai la dimostrazione che me ne diede in occasione della visita a Nizza del presidente della Repubblica. Poiché a quell'epoca non era ancora fotografo ufficiale, non aveva l'autorizzazione di oltrepassare le transenne predisposte dalla polizia. Dopo aver perlustrato la Promenade des Anglais, dove sarebbe passato il corteo presidenziale, scelse   15 il punto che gli sembrava più favorevole e scavalcò con disinvoltura la transenna, seguito da me. Senza un attimo di esitazione, si diresse verso l'agente in servizio e cominciò a lamentarsi del fatto che il passaggio del corteo fosse stato rinviato, borbottando: "Andiamo ben oltre l'orario che mi era stato fissato per il lavoro!".

"Non ho sentito parlare di nessun rinvio" rispose l'agente.

"Io invece sì" ribatté Pansier.

Così i due cominciarono a conversare fra loro finché un funzionario di grado superiore, sull'automobile che apriva il corteo, non chiamò l'agente per domandargli se noi due avevamo l'autorizzazione per lavorare.

"Sì, ce l'hanno" rispose il nostro amico, mentre noi facevamo un passo indietro per fotografare il presidente che ci passava accanto.

La mia prima macchina fotografica fu una Box Brownie con reflex che mi aveva dato Pansier ed era appartenuta a Monsieur Thaddeus de Jarosinsky, un pallido pittore polacco che, non riuscendo a ottenerne buoni risultati, l'aveva venduta poco tempo prima di impiccarsi. La usai per sei mesi e poi la rivendetti a mia volta a un amico di famiglia, Edwin Rosskam, un altro pittore fallito che sarebbe poi diventato un noto fotografo. Feci un ulteriore progresso allorché venni in possesso di una Voigtlander a soffietto con un obiettivo F/3,5 montato su un otturatore Compur, che mi permise di fotografare la mia squadra di nuoto durante le gare e di guadagnare così qualche soldo. La Voigtlander fu ben presto soppiantata dalla Leica, che irruppe nel mondo della fotografia con effetti strepitosi.

Quella 35 mm, con il suo obiettivo a grande apertura e la sua notevole profondità di campo, utilizzava le pellicole più moderne e permetteva per la prima volta ai fotografi di lavorare in condizioni di luce minima, lanciando così quella che poi si sarebbe chiamata "candid photography". I fotografi della vecchia generazione, trincerati dietro le loro grosse macchine e intimoriti da quella tecnica rivoluzionaria, ne parlavano in tono di scherno. Pansier, invece, si convertì rapidamente alla microfotografia e io ne seguii subito l'esempio. La Leica mi insegnò l'assioma fondamentale della fotografia: a tutti piace essere fotografati. Feci questa scoperta il giorno in cui stavo scattando di nascosto delle fotografie in classe: quando il professore di chimica mi sorprese nel bel mezzo di una posa, invece di confiscarmi la macchina e di punirmi, radunò gli alunni intorno alla cattedra, si pettinò e mi chiese di fare una foto di gruppo.

Pansier e io provammo la Leica agli spettacoli del circo, nei caffè o fotografando scene notturne all'aperto. Ci esercitammo nelle pose di un ottavo di secondo e, se trovavamo una posizione abbastanza stabile, di mezzo secondo. Questo significava prevedere il momento in cui il soggetto, ignaro di essere fotografato, sarebbe rimasto immobile per quella frazione di tempo. Così riuscimmo a scattare fotografie che sarebbero state inconcepibili prima dell'avvento della microcamera.

Le fotografie esposte nella vetrina di Pansier suscitarono un notevole interesse per la loro novità. Un rappresentante della Zeiss Ikon rimase particolarmente colpito dal nostro lavoro e chiese a Pansier di provare la Contax da 35 mm della sua ditta. Usammo la macchina per una settimana scattando anche alcune fotografie al pastore tedesco di Pansier. Quando il committente vide i risultati, chiese a Pansier se poteva realizzare una stampa a grandezza naturale della fotografia del cane per una mostra in Germania.

Certo che potevamo!

Per fare un simile ingrandimento fummo costretti a spostare l'ingranditore e a stendere la carta sensibile sul pavimento. Poiché le esposizioni richiedevano più

Londra 1937. John Phillips in cilindro grigio, indispensabile per poter fotografare eventi mondani.

Festival di Salisburgo 1937. John Phillips ritratto da Cecil Beaton.

di un'ora, lavorammo un sabato notte per evitare le vibrazioni del traffico, giocando a carte in un caffè vicino fra una prova e l'altra. All'alba la foto richiesta era pronta. Il rappresentante della Zeiss Ikon ne fu entusiasta e il ritratto del cane fu un trionfo per la Contax alla mostra fotografica. Solo in seguito Pansier rivelò che quella splendida foto Contax era stata in realtà realizzata con una Leica.

Nel 1934 io conclusi gli studi. A quel tempo mio padre, che aveva sempre deplorato l'inclemenza del clima inglese, decise che era ora di "tornare a casa". Il paese che lui rivedeva dopo trent'anni, e in cui io mettevo piede per la prima volta, era un mondo nuovo per entrambi. Pur essendo suddito britannico per nascita, l'essere stato educato all'estero faceva di me uno straniero agli occhi dei miei compatrioti, impressione che io stesso corroboravo con lo stranissimo accento che sembrava contraddire il mio aspetto inequivocabilmente anglosassone.

Con alle spalle una storia come la mia, e con la Grande Depressione, non mi si offrivano certo molte opportunità di lavoro. Una mi venne presentata in modo un po' subdolo. Un amico di un conoscente mi combinò un incontro in un pub del Lancashire con un tale che aveva tutto l'aspetto di un gentiluomo di campagna. Questi esordì lasciando intendere che un tipo come me avrebbe avuto una buona accoglienza se fosse tornato in Algeria e che gli amici della mia famiglia avrebbero trovato del tutto normale che mi stabilissi laggiù. Chi avrebbe potuto sospettare che lavorassi per il servizio segreto inglese? La cosa mi interessava? No, non mi interessava.

La proposta più vicina a un lavoro in piena regola fu un posto di addetto alla camera oscura in un laboratorio fotografico di Londra. Venni scelto come il candidato più idoneo con il compito di sviluppare negativi, fare ingrandimenti e preparare il tè, dietro un compenso di due sterline e dieci la settimana.

"Non è male per cominciare" commentai.

"Cosa intende con quel 'per cominciare'?" chiese il proprietario.

"Non ha intenzione di darmi l'opportunità di fare strada?"

"Assolutamente no! Spiacente, ragazzo mio, ma non è il tipo che fa per noi."

Quando ci penso, provo ancora un senso di incredulità per il modo in cui riuscii a farmi assumere dalla rivista "Life". Il complesso di coincidenze che mi condussero a questo risultato è così inconsistente che l'ansia mi assale ancora ogni volta che mi ritorna in mente.

Mentre ero a caccia di un lavoro, incontrai un tale che possedeva una Contax e che per lasciarmela usare pretese il 50 per cento di ogni mio guadagno. In base a questo accordo, andai in Fleet Street, centro del giornalismo londinese. Nell'estate del 1935 la stampa inglese era monopolizzata dai servizi sui preparativi per il venticinquesimo anniversario dell'ascesa al trono di Giorgio V. Nel bel mezzo di quel trambusto, Boo-Boo, una scimpanzé dello zoo di Londra, diede alla luce un'erede, opportunamente battezzata "Jubilee", anniversario. Il felice evento incrementò in modo straordinario l'afflusso giornaliero dei visitatori dello zoo, ma con grande disappunto dei giornali nessuno, eccetto il guardiano, era ammesso al di là della parete di vetro che proteggeva gli scimpanzé dal freddo e dalla folla dei curiosi. Perciò nelle fotografie che si potevano scattare, gli animali si vedevano soltanto attraverso le sbarre della gabbia, il che rovinava l'immagine del quadretto famigliare che i giornali volevano ma non potevano ottenere.

Senza lasciarsi scoraggiare, il "Sunday Express" commissionò a un cronista un articolo a patto che si procurasse una fotografia senza le sbarre. A sua volta, lui mi promise cinque sterline se fossi riuscito nell'impresa. Presi a prestito una banconota da una sterlina, feci quattro chiacchiere con il guardiano e attesi che il padiglione degli scimpanzé fosse sgombrato in vista della quotidiana visita del veterinario, a mezzogiorno. Quando giunse il sanitario, gli domandai il permesso di far scattare al guardiano qualche fotografia per il "Sunday Express". Me lo accordò. Passai la macchina fotografica scarica all'uomo che entrò nella gabbia e finse goffamente di prendere parecchie foto. Quando il veterinario se ne andò, il guardiano chiuse le porte a chiave, mentre io infilavo il rullino nella macchina e la banconota da una sterlina nella sua mano. Lo seguii al di là del vetro e scattai le fotografie che il giornale voleva. Tuttavia questo *scoop* non fu di alcuna utilità per la mia carriera.

La mia sola possibilità di vendere una fotografia ai giornali consisteva nell'occuparmi di avvenimenti che i professionisti trascuravano. Passando in rassegna la stampa alla ricerca di una notizia insolita, mi imbattei in un articolo su Walter S. Allward, uno scultore canadese che aveva lavorato per sedici anni a un monumento ai caduti della prima guerra mondiale, la cui inaugurazione era prevista per la primavera seguente. Fui colpito dal fatto che in tutti quegli anni Allward non avesse mai permesso a nessuno di fotografarlo e quel pomeriggio stesso mi diressi verso casa sua, a Bayswater. Pioveva a dirotto ed ero senza impermeabile.

Quando suonai alla sua porta, più che un giornalista, come affermavo di essere, sembravo uno ripescato dal fiume. Allward non mi aspettava perché avevo deciso di non dargli modo di liquidarmi per telefono. Mi fece entrare grazie all'intervento della moglie, che tagliò corto alle sue obiezioni osservando: "Questo ragazzo si prenderà una polmonite se non beve una tazza di tè".

Mentre sorbivo il mio tè, lo scultore mi parlò del monumento. Quando i miei vestiti furono asciutti, gli domandai se potevo fotografarlo. La signora Allward prevenne nuovamente le obiezioni del marito. Ero così emozionato che le mani mi tremavano e le fotografie riuscirono tutte sfocate. Sconsolato, la mattina dopo telefonai ad Allward per spiegargli perché non potevo portargli le fotografie, come avevo promesso.

"Venga al mio studio oggi pomeriggio" mi rispose. "Metterò il basco e potrà fotografarmi mentre lavoro".

Le fotografie questa volta riuscirono bene, ma il mio fu un trionfo effimero: Mussolini aveva appena invaso l'Etiopia. Non era il momento più adatto per celebrare i monumenti ai caduti.

Alcuni mesi dopo aiutai un amico a predisporre per la vendita all'asta una proprietà di famiglia. Facendo l'inventario, trovammo un fascio di numeri di "Time", che mi fu donato. Non avevo mai sentito nominare quella rivista. Poiché la mia scoperta era avvenuta poco tempo prima dell'inaugurazione del monumento di Allward, d'impulso inviai a "Time" una copia della fotografia dello scultore.

Il 2 novembre 1936 ricevetti la risposta: l'editore era spiacente di non poter utilizzare per il momento la mia fotografia, ma mi corrispondeva quattordici dollari per il diritto di conservarla nei suoi archivi. Mi resi quindi conto che una foto rifiutata negli Stati Uniti mi aveva fruttato più che se l'avessi pubblicata in Gran Bretagna. Inoltre nella lettera mi si informava che la Time, Inc. aveva un ufficio a Londra, stava per lanciare una nuova rivista e mi invitava a prendere contatto nell'eventualità che ci fosse bisogno di me.

Due ore dopo ero nell'ufficio londinese della Time, Inc. dove mi informarono che la nuova rivista si sarebbe chiamata "Life", mi mostrarono un menabò, mi chiesero il numero di telefono e mi dissero di aspettare una loro chiamata.

Questa arrivò il giorno successivo: mi incaricavano di fotografare la cerimonia di apertura del Parlamento alla presenza di Edoardo VIII. Non dovevo ritrarre il re, di cui si occupavano già le agenzie: dovevo bensì riprendere in modo "origi-

Transgiordania 1943. Ad Aqaba John Phillips gioca a scacchi con l'emiro Abdullah, futuro re di Giordania.

Transgiordania 1943. John Phillips e Glubb Pascià (successore di Lawrence d'Arabia) accampati a Wadi Rumm, il quartier generale di Lawrence durante la rivolta araba della prima guerra mondiale.

nale", scene di folla ricche di atmosfera. Questo solo contava per loro.

Pur sapendo che tutto il mio futuro con la rivista dipendeva da quel servizio, ero così timido che non osavo fotografare di fronte le persone. Così ripresi tutti da dietro, immortalando schiene di ogni tipo, da quelle improntate dall'andatura dinoccolata dei giovani a quelle dolorosamente incurvate dalla vecchiaia.

"Avevo chiesto qualcosa di originale e senza dubbio l'ho avuta" commentò il redattore capo, scuotendo la testa incredulo, quando gli portai le fotografie.

Le mie schiene furono pubblicate sul primo numero della rivista: per pura combinazione avevo azzeccato in pieno lo stile "Life".

Solo molti anni dopo avrei scoperto che la tecnica di fotografare di spalle i personaggi famosi, tecnica da cui "Life" avrebbe ricavato effetti straordinari, risaliva a mezzo secolo prima. L'aveva già usata il conte Giuseppe Primoli che discendeva da Napoleone I, a mio avviso il padre del fotoreportage moderno.

Nello schema cronologico della fotografia Primoli si situa dopo Nadar e prima di Lartigue. La sua è stata efficacemente definita da Henri Cartier-Bresson la capacità di cogliere "the decisive moment" e a questo proposito possiamo porre a confronto la celebre fotografia di Cartier-Bresson del 1954 in cui un ragazzino regge trionfalmente due bottiglioni di vino con quella scattata da Primoli nel 1899 in cui una vedova rivolge uno sguardo di disapprovazione all'attrice Réjane. Anni e anni prima della celebre immagine del pubblico della Scala, realizzata da Alfred Eisenstaedt, Primoli aveva ottenuto qualcosa di analogo al Conservatorio di Parigi.

Primoli fu il precursore del reportage fotografico. E non ebbe mai bisogno di tessere per la stampa, perché la sua posizione sociale gli aveva permesso di assistere in prima fila agli avvenimenti che facevano notizia. Ebbe l'opportunità di fotografare il futuro re Giorgio V e il Kaiser Guglielmo in occasione delle loro visite ufficiali a Roma, e ben prima che Erich Salomon legasse il suo nome alla "candid photography", aveva ripreso di spalle Leone XIII a passeggio nei giardini vaticani.

Un mese dopo che avevo fotografato le schiene, "Life" mi assunse: avevo ventidue anni. La rivista aveva sette fotografi, di cui sei negli Stati Uniti; ero perciò il solo a lavorare all'estero e avevo per me tutta l'Europa. Era il 1937: ricordo quell'anno come un lungo ricevimento, e per me i ricevimenti significavano lavoro. Vi furono festeggiamenti di ogni sorta per celebrare l'incoronazione di Giorgio VI e per lo più li fotografai io. Il primo a cui venni inviato da "Life" fu il "Servants' Ball" alla Albert Hall di Londra. Poiché al botteghino risultava che i biglietti d'ingresso erano esauriti, chiamai varie grandi case londinesi nella speranza che il domestico o il maggiordomo che rispondeva al telefono mi cedesse il suo per cinque sterline: con mia grande sorpresa, e con loro disappunto, nessuno sapeva niente del ballo. Mi resi conto che in quella faccenda c'era qualcosa che mi sfuggiva. Alla fine il mio caporedattore, che era stato invitato nel palco di certi amici, riuscì a procurarmi un biglietto, ma mi avvertì anche che per partecipare al ballo bisognava essere in costume.

I negozi specializzati avevano ormai noleggiato tutti i loro costumi: era rimasta soltanto un'uniforme d'ordinanza della Marina. Sebbene nutrissi seri dubbi sull'opportunità di presentarmi vestito da marinaio, ero stato assunto così recentemente ed ero così desideroso di accontentare il mio capo che mi presentai alla Albert Hall sotto le spoglie di un membro della Marina di Sua Maestà. Compresi di aver commesso un errore prima ancora di raggiungere il palco in cui sedeva il caporedattore e di cogliere questa maliziosa osservazione della signora che lo aveva invitato: "Caro, vuoi proprio che il tuo fotografo venga violentato?". Per un complesso di circostanze non potei realizzare un servizio soddisfacente, ma in compenso fui perseguitato da uno strano tipo in minitoga, uno dei tanti omosessuali che partecipavano al ballo.

Un'altra occasione che persi fu quella di fotografare la famiglia Kennedy. "Vogue" voleva pubblicare un servizio fotografico sull'ambasciatore americano e la sua numerosa famiglia all'indomani del loro arrivo in Inghilterra; così il caporedattore londinese di "Vogue" mi chiese in prestito a "Life" e la rivista mi lasciò trattare personalmente il compenso. Il disinteresse ostentato nei confronti del mio lavoro dal mondo giornalistico britannico mi bruciava, perciò ebbi la faccia tosta di chiedere un compenso esorbitante, pari a tre mesi del mio stipendio: fui cortesemente congedato e persi l'occasione di scattare all'allora ventenne John F. Kennedy quelle fotografie che un collega più accorto vendette poi per una bella cifra.

Talvolta, invece, la faccia tosta fruttava, come quando mi venne affidato un servizio fotografico sulla "maison de couture" parigina di Elsa Schiaparelli. A quell'epoca la sarta di origine italiana e la sua maggiore concorrente francese, Coco Chanel, erano acerrime rivali. Benché fossi stato autorizzato a scattare tutte le fotografie che volevo nell'elegante edificio di cinque piani in Place Vendôme, mi resi conto che Elsa Schiaparelli restava inafferrabile. Una volta, a mezzogiorno, la intravidi con un cappellino di sua creazione, evidentemente ispirato alla celebre lucerna di Napoleone.

"Lo spettro di Napoleone" osservai mentre lei scivolava via.

Madame Schiaparelli si voltò. "Signor Phillips, mi risulta che lei esce con Christiane, una delle mie indossatrici".

"Non è una fortuna?" risposi.

"Una fortuna?"

"Cosa direbbe la gente, madame Schiaparelli, se il fotografo di 'Life' che deve fare un servizio sulla Maison Schiaparelli uscisse con un'indossatrice di Chanel?"

"Va bene, può fotografarmi dopo colazione" replicò Elsa Schiaparelli allontanandosi.

Al momento in cui avevo ormai fotografato la "Fête Champêtre" di Cecil Beaton, il "Bal Directoire" al Palais Royal di Parigi, la caccia al gallo cedrone in Scozia, gli innumerevoli ricevimenti di Cannes e il Festival di Salisburgo, non ero più il timido giovanotto che riprendeva la gente di spalle. Avevo finito per essere accettato perché continuavo a incontrare le stesse facce in un ambiente esclusivo assai limitato.

Rientrando a Londra da Salisburgo, trovai un invito che denunciava l'ambivalenza della mia posizione in quel mondo classista in cui mi muovevo. Avevo incontrato tanta affabilità che avevo finito per avere dei legami con un ambiente con il quale non avevo nulla in comune. Una signora di Mayfair il cui nome non mi diceva niente mi invitava a cena e poi a uno spettacolo di balletto all'Old Vic. A ogni buon conto accettai, indossai lo smoking, mi presentai a quella cena per venti persone, andai al balletto e scrissi un bigliettino di ringraziamento senza che fossi riuscito a individuare la mia ospite.

La mia carriera di fotografo mondano ebbe bruscamente termine a mezzogiorno dell'11 marzo 1938, quando mi dissero di imbarcarmi su un aereo per Parigi quel pomeriggio stesso. Là avrei preso l'Arlberg Express diretto a Vienna. Sul treno incontrai altri quattro corrispondenti esteri e discutemmo delle voci secondo cui Hitler si accingeva a invadere l'Austria. Alle quattro del mattino sentii bussare violentemente alla porta dello scompartimento: fatto insolito

Sardegna 1944. John Phillips con il poeta-aviatore Antoine de Saint-Exupéry, allora dislocato ad Alghero.

perché i conduttori delle carrozze letto erano sempre cortesi. Lo steward austriaco, così ossequioso a Parigi, a Innsbruck mi annunciava con tono insolente: "Adesso l'Austria è Germania!".

A Salisburgo alcuni giovani austriaci armati e decorati di svastiche mi chiesero i documenti e si informarono se rappresentassi la stampa ebraica. Superata Linz, il treno costrinse a fermarsi alcune colonne motorizzate tedesche, primo ostacolo che la Wehrmacht avesse incontrato nella sua avanzata in Austria.

Scendendo dal treno a Vienna, mi trovai faccia a faccia con un soldato delle truppe d'assalto dalla testa tutta bendata: a quella vista decisi che non mi sarei mai più cacciato in una situazione simile, ma mi sbagliavo. Da allora, la maggior parte della mia carriera ha avuto come soggetto la violenza.

Dal balcone dell'albergo guardavo la folla in tumulto sotto di me. Per la quinta o sesta volta in una giornata, i rauchi latrati di Hitler provocavano deliranti assembramenti nelle strade. Quella era la gente con cui avrei dovuto mischiarmi per fotografarla. Mi avevano appena informato che io e i miei colleghi dovevamo avere un'autorizzazione speciale, ma non nutrivo alcuna speranza di ottenerla perché Hitler detestava "Life".

"Se ti sorprendono a scattare fotografie senza autorizzazione passerai dei bei guai" mi aveva avvertito un collega americano.

Passai una notte a escogitare il modo di scattare fotografie senza autorizzazione: per il successo del mio piano confidavo nella cieca devozione tedesca nei confronti dell'autorità. Noleggiai una Daimler nera con due grandi svastiche che sventolavano sui parafanghi e con tanto di autista in uniforme nera. L'idea era che se mi mettevo in evidenza nessuno avrebbe sospettato che non avevo un lasciapassare. Il sistema funzionò.

Alla fine della settimana la stretta tedesca su Vienna si era fatta tale che ritenni opportuno andarmene con le mie pellicole. Prenotai una cuccetta sul Mitropa Express che attraversava il confine alle quattro del mattino, un'ora in cui i funzionari della dogana generalmente dormivano. Avevo la cuccetta superiore, mentre quella inferiore era occupata da un membro del partito nazista che era anche stato accompagnato al treno da una delegazione. Tenevo le pellicole nella tasca del pigiama e mi chiedevo dove avrei potuto nasconderle finché, vedendo il pesante cappotto del mio compagno di viaggio a portata di mano, pensai: "Perché no? È molto meno probabile che perquisiscano lui".

Quando quello si addormentò mi sporsi nel buio, cercai a tentoni il cappotto, trovai la tasca e vi lasciai cadere le pellicole. Come avevo previsto, i funzionari della dogana furono deferenti verso il mio compagno di viaggio; io invece dovetti sottostare a una minuziosa perquisizione. Gli ci volle un bel po' di tempo per riprendere sonno, mentre io giacevo immobile, temendo di addormentarmi e non risvegliarmi che la mattina successiva, quando avrei avuto ben poche possibilità di recuperare i rullini. Alla fine lo udii russare. Brancolai nuovamente alla ricerca del cappotto ed ero riuscito a infilare la mano destra nella tasca quando lo scompartimento improvvisamente si illuminò. Stringendo i rullini nel pugno, mi gettai all'indietro, picchiando la testa contro la parete. Di colpo, lo scompartimento ripiombò nel buio: avevamo attraversato una stazione secondaria e, poiché le tendine dei finestrini non erano abbassate, lo scompartimento era stato inondato dalla luce. Il pomeriggio seguente le pellicole erano in viaggio per New York a bordo della *Queen Mary*.

Il 23 settembre 1938 assistevo alla seconda conquista di Hitler, l'annessione della regione dei Sudeti, in Cecoslovacchia, come risultato degli accordi di Monaco. Mi recai sul posto per fotografare il passaggio della regione sotto il controllo tedesco e, affinché nessuno potesse precedermi nella spedizione delle pellicole, portai in macchina con me il responsabile cecoslovacco della censura. Così nessuno poté avvicinarlo. Ai giorni nostri un simile comportamento sarebbe certo impensabile.

Recentemente mi sono reso conto di come oggi si lavori in modo diverso conversando con John Loengard, capo servizio fotografi di "Life". Gli avevo raccontato come "Life" mi avesse inviato in Sudamerica nel 1939. Mentre mi trovavo a Buenos Aires, fui incaricato di recarmi in aereo nella Terra del Fuoco per realizzare un servizio fotografico su Capo Horn. Ero rimasto in Patagonia otto settimane, spostandomi a bordo di vecchi aerei, autobus, battelli costieri e una barca a vela di dieci metri con un motore ausiliario. Avevo alloggiato in tuguri, bruciando libri per riscaldarmi, e dormito nel centro abitato più meridionale del continente americano, dividendo la stanza con un cucciolo di lama. La mia odissea si era conclusa a una trentina di chilometri da Capo Horn, quando lo skipper spagnolo della barca a vela che avevo affittato mi aveva detto nel bel mezzo di una tempesta: "*Hombre*, ho sette bambini e aspiro ad averne almeno un ottavo. Torniamo indietro".

"Oggi" ha replicato Loengard "ti affideremmo il servizio il lunedì imbarcandoti sul volo di martedì per Buenos Aires. Mentre tu sei in volo, sistemeremmo ogni cosa per farti arrivare in aereo fino in Patagonia e farti fotografare Capo Horn dall'elicottero. Il venerdì saresti già di ritorno a New York".

Rientrai dall'America latina una settimana prima che scoppiasse la seconda guerra mondiale e lavorai negli Stati Uniti sino al marzo del 1943. Presto mi resi conto che essere fotografo di "Life" negli Usa era ben diverso che esserlo in Europa: gli americani ammiravano quella rivista, amavano farsi fotografare ed erano disponibili e disinvolti di fronte all'obiettivo.

Nella primavera del 1943 "Life" mi inviò al Cairo. La guerra nel Sahara occidentale era finita e cominciava a delinearsi il mondo del dopoguerra. Ebbi un'idea della politica ai suoi massimi livelli quando fotografai Roosevelt, Churchill e Stalin in occasione del loro primo vertice a Teheran.

Il 29 novembre 1943 ero ai piedi dei tredici gradini da cui si accedeva al portico dell'ambasciata russa dove avrei fotografato quello storico incontro. I membri meno importanti della conferenza gironzolavano in attesa dei tre Grandi. Il primo ad arrivare fu Stalin, che comparve discretamente da un ingresso laterale. Mi colpirono la sua bassa statura e la rigidità dei suoi movimenti. Il volto butterato aveva l'aspetto di un blocco di granito appena sbozzato. Le mani erano quelle di un manovale. Solo le dita della mano sinistra penzolante da un braccio rattrappito sbucavano dagli ampi polsini dell'uniforme beige in cui era rigidamente fasciato. Mi faceva venire in mente un contadino dell'Europa orientale che si aggirasse lentamente ma con aria scaltra per il mercato con l'abito della domenica.

Winston Churchill avanzò nel portico: portava l'uniforme di commodoro della RAF e sembrava un puttino di cattivo umore.

Il presidente Roosevelt fu portato sotto il portico da due guardie. Per un attimo tutti i presenti rimasero interdetti, come presi alla sprovvista nel constatare quanto fosse grave la sua invalidità. Un lungo bocchino gli spuntava spavaldamente dalla mascella irrigidita in un sorriso forzato: un'entrata in scena di grande effetto. Una volta seduto, la gamba sinistra continuò a oscillare finché una guardia non ne arrestò il movimento. Gli astanti, increduli, rimasero nuovamente senza fiato. Ma il presidente americano, ridiventato già quel personaggio estremamente disinvolto che il mondo conosceva, chiacchierava tutto allegro col primo ministro Churchill.

Roma, 5 giugno 1944. John Phillips il giorno della liberazione della Città eterna.

Una settimana dopo aver visto come i leaders mondiali potessero andare d'accordo a Teheran, scoprii che esisteva un conflitto di interessi fra gli alleati. Convocato al quartier generale del comando delle forze americane in Medio Oriente, appresi di dover prendere parte a una missione militare segretissima in Arabia Saudita, con il compito di fotografare re Ibn-Saud. Un funzionario del dipartimento di Stato ci ragguagliò in tono solenne sullo scopo della nostra missione. Il re, consapevole del fatto che il suo paese era circondato da Iraq e Transgiordania, a quell'epoca sotto il controllo degli inglesi, aveva deciso di accordare delle concessioni petrolifere a società americane per assicurarsi al contempo un reddito e l'indipendenza. Le tribù irachene, armate dagli inglesi con fucili italiani ricuperati dal campo di battaglia di El Alamein, attaccavano le tribù saudite lungo la frontiera e controllavano le strisce di deserto sotto le quali c'era il petrolio. La nostra missione avrebbe dovuto aiutare l'esercito saudita a riconquistare i territori perduti. Le tribù sarebbero state armate dagli Stati Uniti con fucili italiani acquistati dagli inglesi. Il fatto più segreto di quella segretissima missione era che il generale in capo non sospettava minimamente che il suo corrispondente di guerra americano fosse ancora suddito inglese!

Mentre ero al Cairo, nell'autunno del 1943, sentii invece parlare per la prima volta dei partigiani di Tito e della loro lotta contro i tedeschi. Si trattava di notizie confuse e contraddittorie, ma la tattica della guerriglia mi aveva sempre affascinato sin da quando avevo letto le imprese di Lawrence d'Arabia.

Siccome ero il fotografo degli alleati occidentali distaccato presso l'esercito di Tito, fotografai per la prima volta il maresciallo nel luglio del 1944, in occasione del terzo anniversario dell'insurrezione. Il suo quartier generale era in una caverna sul monte più elevato dell'isola di Vis, a una cinquantina di chilometri dalla terraferma jugoslava controllata dai tedeschi.

La prima impressione che ebbi di Tito fu sconvolgente: mi ero aspettato di incontrare un rivoluzionario spavaldo, mentre l'uomo che avevo di fronte aveva l'aria compassata di un amministratore delegato. In quell'occasione Tito fece un'osservazione che non ho mai dimenticato: "Di solito, quando siete accerchiati dal nemico, voi vi arrendete. Noi invece cominciamo a combattere proprio in quel momento".

Mi persuasi che la guerra partigiana era una forza nuova che valeva la pena di studiare. Per questo mi unii a una brigata di partigiani infiltrata tra le maglie del Grande Reich per fotografare il sabotaggio di un ponte. Il loro modo di combattere era così anticonvenzionale che, nonostante i successi conseguiti, i militari di educazione ortodossa si rifiutavano di ammetterne l'efficacia e le implicazioni. Se gli esperti militari ad alto livello avessero studiato a fondo gli aspetti politico-militari della guerra partigiana, forse i conflitti francesi in Indocina e in Algeria, l'intervento americano in Vietnam e l'occupazione russa dell'Afghanistan avrebbero potuto essere evitati.

Quel che imparai dalla guerra partigiana si può riassumere in questo assioma paradossale: i partigiani non hanno bisogno di vincere una guerra per ottenere la vittoria; è sufficiente che continuino indefinitamente la guerriglia, impedendo così agli eserciti regolari di assoggettare il paese. Alla fine, il costo della guerra e la pressione dell'opinione pubblica interna obbligheranno i governi a cedere, come accadde ai francesi in Algeria.

La natura del mio lavoro mi ha offerto l'occasione di assistere in prima persona a vari avvenimenti di portata mondiale. Parecchie volte ho preso parte alla storia. Duemila anni dopo i trionfi dei Cesari, sono passato sotto gli archi di trionfo di Roma con le truppe americane; un'altra volta, seguendo la via percor-

Dietro le linee tedesche in Jugoslavia, settembre 1944. John Phillips rientra da un'incursione nel Grande Reich, dove ha fotografato partigiani che facevano saltare un ponte in mano ai tedeschi.

Città vecchia di Gerusalemme, 28 maggio 1948. John Phillips con la divisa della Legione araba fotografa la resa israeliana.

sa dai babilonesi, dai romani, dai persiani e dai crociati, sono entrato in Gerusalemme con l'esercito arabo. Ho assistito al crollo dell'Impero britannico ed ero nelle vicinanze quando i sovietici cominciarono ad arraffare i resti dell'Impero absburgico nel tentativo di dominare il mondo con la loro teocrazia marxista. Ero presente quando Tito si ribellò a Stalin, provocando la prima crepa nella struttura monolitica del comunismo.

Ormai non è più possibile che un corrispondente come me faccia parte della delegazione britannica di Churchill alla conferenza di Teheran una settimana e della missione americana in Arabia Saudita la settimana successiva. I tempi sono cambiati: mentre io ero l'unico corrispondente, camuffato da funzionario civile, al summit fra Roosevelt, Churchill e Stalin, all'incontro di Ginevra fra Reagan e Gorbaciov hanno assistito oltre tremila rappresentanti dei mass media.

Mi resi conto per la prima volta che il mondo cambiava quando nel 1950 "Life" potenziò la sua redazione per poter avere un fotografo stabile in ogni capitale europea. Avevo goduto di una tale libertà nel mio lavoro che non sapevo più adattarmi alla disciplina indispensabile nelle grosse organizzazioni di raccolta di notizie come "Life". Mentre lavoravo all'estero occupandomi di crisi politiche, della guerra e del caos postbellico, era impossibile per i caporedattori affidarmi incarichi troppo specifici: ai fotografi di "Life" era concessa un'ampia libertà d'azione che, dopo la rapida ripresa dell'Europa, era ormai anacronistica.

Per anni i fotografi come me hanno contato sul fatto di sapere perfettamente che tipo di servizio interessasse alla loro rivista. Il segreto militare in tempo di guerra e il collasso delle comunicazioni nel periodo postbellico impedivano di proporre un servizio alla sede di New York. Non avrei potuto telegrafare che ci sarebbe stato un processo a una spia nel giro di un mese seguito da un'esecuzione capitale il giorno dopo, come mi accadde di vedere ad Aleppo. Questa libertà d'azione faceva di noi giornalisti veri e propri: decidevamo l'argomento del servizio, prendevamo i contatti necessari, scattavamo le fotografie, scrivevamo le didascalie e trovavamo il modo più rapido per inviarle a New York. Eravamo autentici fotoreporter, un termine questo di cui hanno abusato i fotografi che in seguito avrebbero lavorato con un giornalista responsabile di progettare il servizio, organizzarlo, scrivere le didascalie, mentre tutto quello che loro dovevano fare era scattare fotografie in un ordine già predisposto. Sapevo che non avrei mai potuto lavorare in quel modo. Gli individualisti che procedevano a ruota libera come me avevano i giorni contati. Così decisi di prevenire la condanna a morte licenziandomi.

Ed Thompson, direttore di "Life", accettò le mie dimissioni perché capiva anche lui che ero troppo indipendente per sottopormi alla disciplina di un grosso gruppo editoriale. Rimanemmo d'accordo che avrei riservato alla sua rivista la prima opzione su ogni servizio e questo accordo funzionò proprio perché mi permise di occuparmi del tipo di servizi che sapevo realizzare meglio.

Questi mutamenti nell'esercizio del giornalismo fotografico hanno provocato anche grandi trasformazioni nel modo di considerare la fotografia e i fotografi da parte del pubblico. Quando avevo dieci anni, la maestra ci domandò che cosa volessimo fare da grandi. I miei compagni tirarono in ballo l'esercito, la marina, l'aviazione e il corpo dei pompieri; io invece risposi: "il fotografo". Al che la maestra osservò: "Phillips non mira in alto nella vita, ma almeno sa con precisione che cosa vuole diventare".

Ricordo per esperienza personale che talvolta un fotografo poteva essere ancora trattato come se non fosse altro che l'appendice della sua macchina fotografica:

cioè poteva essere preso in considerazione unicamente quando scattava fotografie. Questo fatto induceva parecchia gente a commettere indiscrezioni straordinarie in sua presenza. Mentre mi trovavo al n. 10 di Downing Street per fotografarlo, il primo ministro laburista Clement Attlee discuteva in mia presenza di un'importante elezione con il suo addetto stampa. "Non vorrei sembrare brutale, signore," osservò l'addetto stampa "ma il fatto che la moglie del nostro candidato sia morta stamattina ci sarà di grande aiuto nelle votazioni di domani".

"Naturale che lo sarà, naturale" assentì Attlee.

Non sarebbe mai stato così franco di fronte a un giornalista, mentre la presenza di un fotografo non gli creava alcun problema.

Oggi la fotografia è considerata un'arte. Quello che noi fotografi chiamiamo un ingrandimento viene definito "stampa fotografica" e diventa un pezzo da collezione. È emersa una pletora di consulenti e di periti per aiutare una nuova generazione di collezionisti, che "vedono soltanto con le orecchie", a stabilire le tendenze e le mode di quello che si deve o non si deve collezionare.

Per fortuna esiste anche chi organizza mostre valide e scrive critiche seriamente documentate per mantenere alla fotografia un posto fra le arti: penso, fra gli altri, a Cornell Capa, John Szarkowski e Margaret Weiss negli Stati Uniti, a Lanfranco Colombo in Italia e a Robert Delpire in Francia.

Intanto io, che sono un fotografo, continuo a scattare fotografie.

John Phillips

FOTOGRAFIE

1. Tarda estate 1936. Una tranquilla domenica in una spiaggia danese
   sul Baltico.

2. 18 novembre 1936. Bambina gallese con bandiera britannica in occasione della visita di Edoardo VIII alle regioni minerarie depresse.

3. 18 novembre 1936. "Bisogna fare qualcosa" dice Edoardo VIII durante la sua visita nel Galles meridionale. Ventitré giorni dopo rinuncerà al trono "... per la donna che amo".

Nelle pagine seguenti

4. Inghilterra, gennaio 1937. Londinesi in attesa del passaggio di Giorgio VI.

5. Scozia 1937. Giorgio VI, la regina Elisabetta e le principesse Elisabetta e Margaret Rose assistono ai giochi di Braemar.

6. Londra 1937. Un'inglese del ceto medio, la signora Barlow Neve, prende il tè col figlio Peter.

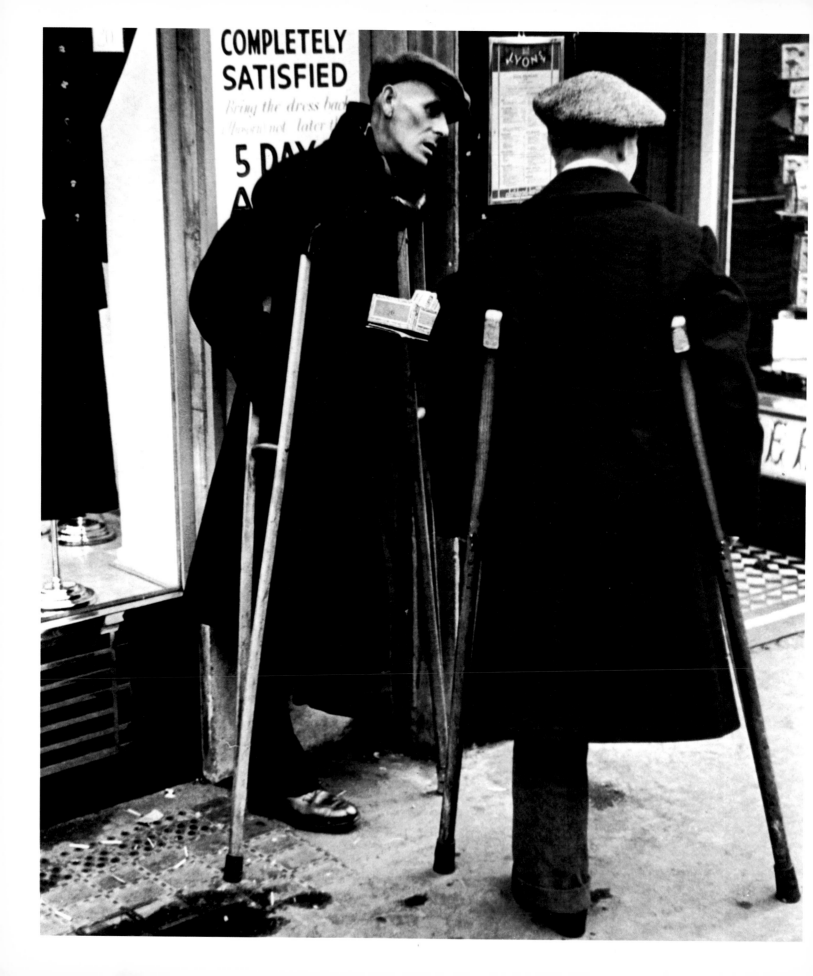

7. Londra 1937. Due mutilati della prima guerra mondiale vendono fiammiferi in Piccadilly Circus.

8. Londra 1937. Un quartetto di ex combattenti, decorati nella prima guerra mondiale e disoccupati, si esibisce per le strade.

9. Ashcombe, Inghilterra, 1937. Un gruppo di invitati alla "Fète Champêtre" di Cecil Beaton.

10. Ashcombe, Inghilterra, 1937. Cecil Beaton alla sua "Fète Champêtre".

11. Eton 1937. Studenti che vanno a scuola.

12. Eton 1937. Professori in tocco e toga.

13. Londra 1937. Il Ballet Russe de Monte Carlo al Covent Garden.
All'ultimo momento si ripara uno strappo.

14. Londra 1937. La ballerina Tatiana Riabouchinska al Covent Garden.

15. Dublino 1937. La rivoluzionaria irlandese Maud Gonne MacBride
attacca il governo che ha incarcerato 60 membri dell'I.R.A.

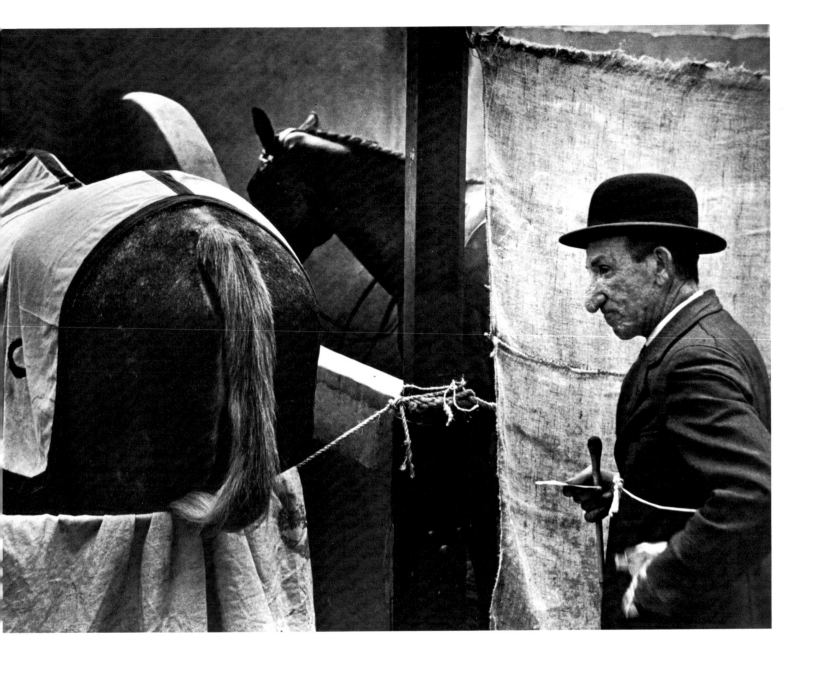

16. Dublino 1937. Un partecipante al Concorso ippico.

17. Dublino 1937. Due allevatori che partecipano al Concorso ippico.
18. Scozia 1937. Accompagnati da un guardacaccia scozzese, miliardari americani scavalcano una siepe inseguendo il gallo cedrone.

19. Scozia 1937. La siesta fra due battute della caccia al gallo cedrone.

20. Scozia 1937. Cena a base di cacciagione nell'elegante sala da pranzo settecentesca di una dimora scozzese.

Nelle pagine seguenti
21. Marsiglia 1937. Monelli.
22. Parigi 1937. Una coppia sulle rive della Senna.
23. Marsiglia 1937. Pranzo Chez Pascal, famoso per la sua bouillabaisse.
24. Parigi 1937. Elsa Schiaparelli disegna un modello nella sua "maison de couture" in Place Vendôme.

25. Parigi 1937. Coco Chanel.

26. Antibes 1937. L'americana Lady Mendl, noto personaggio del bel
    mondo internazionale.

Nelle pagine seguenti

30. Salisburgo 1937. Frequentatori del Festival che si recano a un concerto.

31. Vienna, marzo 1938. Una sentinella tedesca di guardia dopo l'occupazione hitleriana.
32. Vienna 1938. Saluto nazista.
33. Vienna 1938. Giovani nazisti austriaci sfilano per le strade.

34. Vienna 1938. Donne naziste acclamano le truppe tedesche.
35. Varsavia 1938. Tre sorelle nel ghetto.

Nelle pagine seguenti
36. Romania 1938. Nozze contadine in Transilvania.

37. Cecoslovacchia, 30 settembre 1938. Hitler si annette la regione dei Sudeti.

38. Cecoslovacchia 1938. L'attrice Lillian Gish parte per l'America.

Nelle pagine seguenti

39. Rio de Janeiro 1939. Tifosi allo stadio.

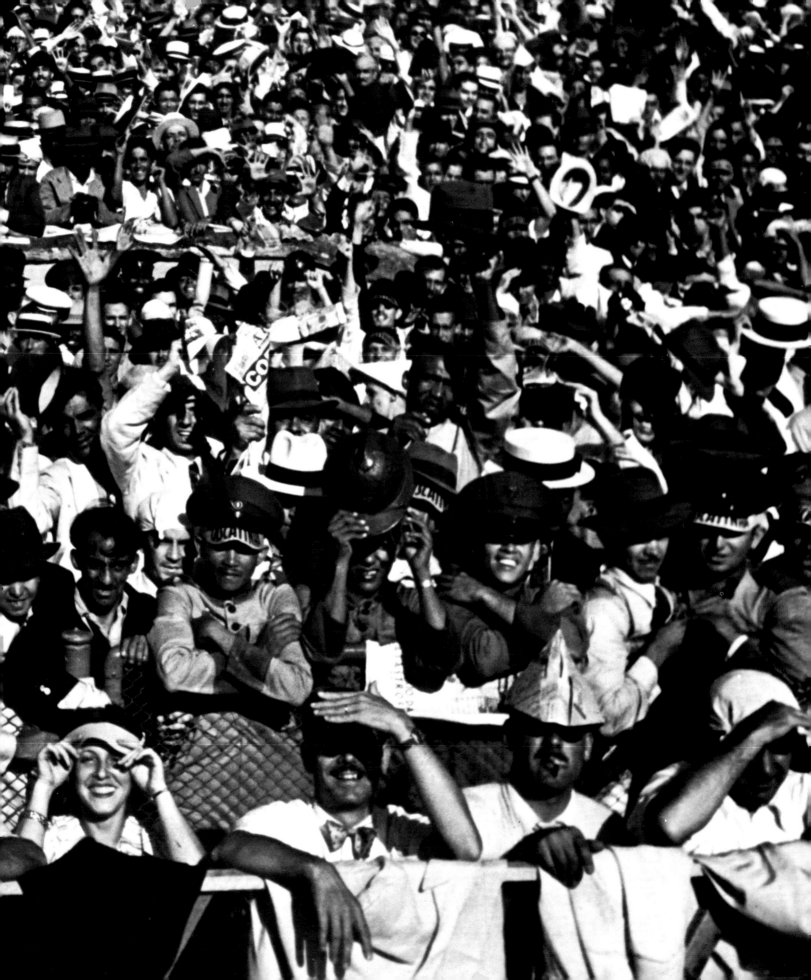

Nelle pagine seguenti

40. Brasile 1939. Si carica caffè nel porto di Santos.
41. Buenos Aires 1939. Il presidente Roberto M. Ortiz e la moglie al
Teatro Colón.

42. Brasile 1939. Scolaretti giapponesi a Bastos.
43. Paraguay 1939. Fumatori in erba.

44. Patagonia 1939. Gruppo di indiani nella Terra del Fuoco.

45. Patagonia 1939. La baia di Navarino.

Nelle pagine seguenti
46. Stati Uniti 1940. Dormitorio nella scuola media di Lawrenceville.
47. Stati Uniti 1940. Il commesso viaggiatore.

48. New York 1940. Spogliarello di Gypsy Rose Lee durante uno
    spettacolo a beneficio della Gran Bretagna.

49. New York 1941. Una isolazionista a un comizio di "America First".

50. Canada 1943. Contadini canadesi del Québec.

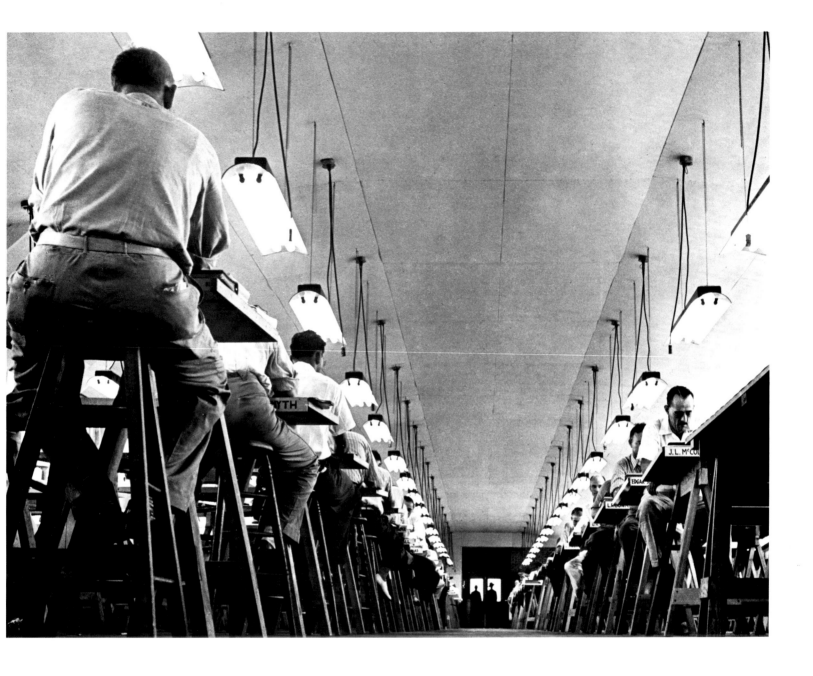

51. Corpus Christi, Texas, 1940. Disegnatori.

Nelle pagine seguenti

52. Alabama 1940. La Giornata della Difesa a Birmingham.
53. Chicago 1940. Campagna per le elezioni presidenziali: ritratto del presidente Roosevelt.

54. Boston 1942. Festa per la raccolta dei rottami: il costume più originale.
55. Columbus, Ohio, 1942. La vincitrice di una gara di spennatura di polli.

56. Georgia 1941. Il generale George S. Patton sul fiume Chatta-hoochee.

57. Louisiana 1940. La mascotte del quinto reggimento d'artiglieria.

58. Beershaba, Palestina, 1943. Sceicco arabo.

59. Beershaba, Palestina, 1943. Un allievo della scuola araba.

Nelle pagine seguenti
60. Egitto 1943. Si dà il benvenuto a re Faruk.

Nelle pagine seguenti

61. Damasco, Siria, 1943. Un bottegaio schiaccia un pisolino nel *suk*.
62. Siria 1943. Due monelli vanno a nuotare nell'Eufrate.
63. Aqaba, Transgiordania, 1943. L'emiro Abdullah segue le manovre.
64. Gidda, Arabia Saudita, 1943. Re Abd-al-Aziz ibn-Saud.

65. Aleppo, Siria, 1943. Spie tedesche giustiziate.

66. Iran 1943. Stalin, Roosevelt e Churchill al vertice di Teheran.

67. Egitto 1943. Madre jugoslava con i figli in un campo profughi.

68. Jugoslavia 1944. Il quartier generale di Tito durante la guerra.

Nelle pagine seguenti
69. Jugoslavia 1944. Colonna di partigiani feriti.

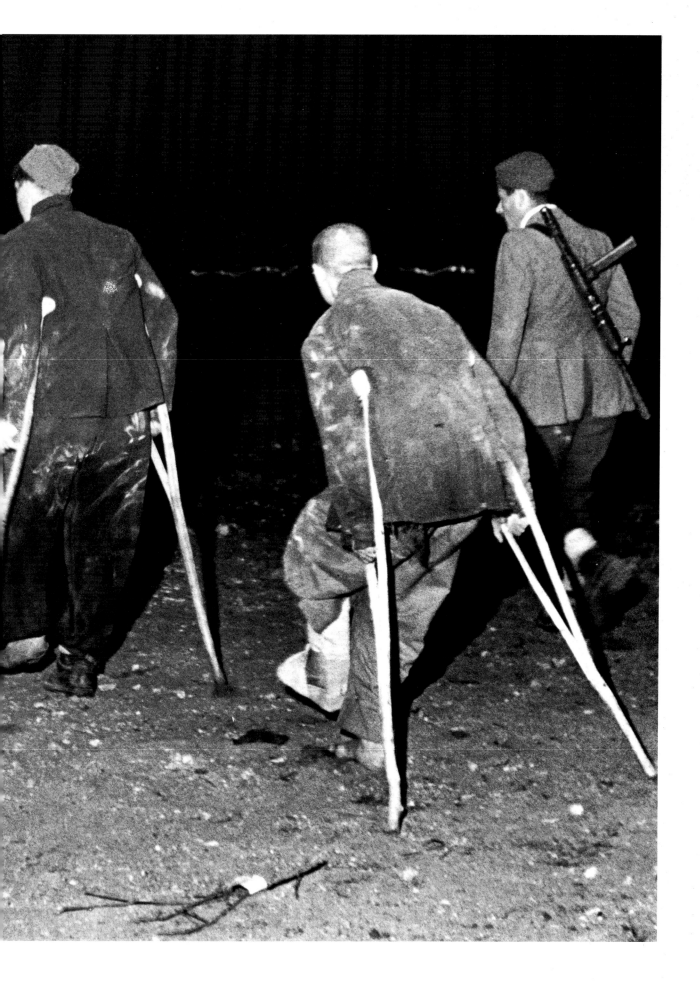

70. Fronte italiano 1944. Il caricaturista americano Bill Mauldin.   71. Sardegna 1944. Il poeta-aviatore Antoine de Saint-Exupéry.

72. Varsavia 1945. La baracca di un manicure-pedicure.
73. Polonia 1945. Copie di *Mein Kampf* in una casa di Danzica.

Nelle pagine seguenti
74. Varsavia 1945. Il ghetto.

75. Austria 1945. Profughi che rientrano da campi di concentramento nazisti.

76. Vienna 1945. Due soldati dell'Armata Rossa.

77. Austria 1945. Nathan Dembowsky, superstite del campo di concentramento di Auschwitz.

78. Ungheria 1945. Il principe Lonyay Elemer nell'abbazia di Pannon-
halma.

Nelle pagine seguenti

79. Praga 1945. Il criminale di guerra Josef Pfitzner condannato a morte.
80. Budapest 1946. Fucilazione dell'ex primo ministro László Bárdossy.

81. Budapest 1946. Uno strillone con il sacco in cui infilare le banconote durante l'inflazione.

82. Budapest 1946. Soldati presidiano un palazzo requisito.

83. Roma 1944. Comizio dei partiti comunista e socialista.

84. Roma, giugno 1946. Proclamazione della Repubblica.

85. Roma 1946. Monarchici ansiosi di vedere il re dopo l'abdicazione.

86. Roma 1946. Monarchici davanti al Quirinale.

87. Grecia 1946. Un prete ortodosso di Kalabaka, piccola comunità in mano ai guerriglieri.

88. Grecia 1946. Donne di Louzesti piangono Apostolos Natso, ucciso durante la guerra civile.

89. Italia 1950. Il sonnellino di un venditore di scarpe di Eboli.

90. Città del Vaticano 1947. Evita Perón in San Pietro per l'udienza con papa Pio XII.

91. Egitto 1948. L'ombra del minareto su un villaggio.

92. Il Cairo 1948. Il preside della facoltà di teologia dell'Università islamica el-Azhar con due studenti.

93. Il Cairo 1948. La preghiera di mezzogiorno.   94. Il Cairo 1948. Il vicerettore dell'Università el-Azhar.

95. Palestina 1948. Palestinesi guadano il Giordano per attaccare
un insediamento ebraico.

96. Amman, Transgiordania, 1948. Il generale John Bagot Glubb nel
quartier generale della Legione araba.

97. Gerusalemme, 17 maggio 1948. Si combatte nel quartiere ebraico durante la guerra per l'indipendenza israeliana.

98. Gerusalemme 1948. Rachel Levy in preda al terrore nella città vecchia dopo la resa israeliana.

99. Gerusalemme, 28 maggio 1948, ore 16,40. Gli abitanti del quartiere ebraico aspettano di conoscere il loro destino dopo la resa
israeliana.

100. Gerusalemme, 29 maggio 1948, ore 16,40. Il quartiere ebraico ventiquattr'ore dopo la resa israeliana.

101. Palestina 1948. Profughi arabi fuggono da un villaggio occupato dalle truppe israeliane.

102. Gerusalemme 1948. Trionfale ingresso di re Abdullah di Giordania nella città vecchia.

103. Israele 1949. Emigranti ebrei arrivano a Haifa.

104. Tel Aviv 1949. Gli israeliani festeggiano il primo anniversario
dell'indipendenza.

105. Inghilterra 1950. Il decimo duca di Marlborough a palazzo Blenheim, sua residenza.

106. Londra 1949. Il primo ministro Clement Attlee al numero 10 di Downing Street.

107. Londra 1950. Il maggiore James Buchanan delle Guardie reali, davanti al suo club.

108. Galles 1950. Minatore al lavoro.

109. Londra 1950. Domenica a Hyde Park.

110. Galles 1950. Il marchese di Anglesey a Plas Newydd, la sua
dimora settecentesca.

111. Marsiglia 1947.

112. Francia 1949. Padre Georges Baudry dice messa in un caffè di
     Mousseaux, a nord di Parigi.

113. Marsan, Francia, 1949. Monsieur Rossignol, tabaccaio.

114. Francia 1952. Una banca solo di nome.

115. Francia 1949. Jean-Marie Pacot e sua moglie Rose, domestici di
casa Montesquiou.

116. Francia 1949. Joseph-Louis-Gustave Leflaive e sua moglie Anne-
Marie-Camille-Béatrix de Villars-Leflaive, produttori del famoso
vino Montrachet.

117. Francia 1951. L'attore e regista Erich von Stroheim.

118. Italia 1947. Eduardo De Filippo (in *Napoli milionaria*).

119. Jugoslavia 1950. Minatori della miniera di piombo di Trepča nel Kosovo.

120. Jugoslavia 1950. La famiglia Birovljevic davanti alla propria casa in una cooperativa agricola in Serbia.

121. Roma 1952. Alcide De Gasperi.

122. Italia 1960. Enrico Mattei.

Nelle pagine seguenti
123. Napoli 1962. Pazzarielli.

124. Belgrado 1949. Un negozio di rigattiere.

125. Atene 1954. Il maresciallo Tito mostra le sue medaglie alla regina
Federica di Grecia.

126. Belgrado, maggio 1955. Preparativi nell'aeroporto per l'arrivo di Krusciov.

127. Belgrado, maggio 1955. Krusciov, Mikojan e Bulganin visitano il monumento ai caduti.

128. Algeri 1959. La casbah.

129. Algeria 1959. Marines francesi in Cabilia durante la guerra.

130. Cartagine, Tunisia, 1959. Madri e figli sulla spiaggia.

131. Algeria 1959. Il sindaco di un villaggio e un poliziotto della Cabilia.

Nelle pagine seguenti
132. Casablanca 1959. "Fantasia" araba.

133. Rabat 1959. La principessa Lala Aisha, sorella del re del Marocco, nel suo palazzo.

134. Sfax, Tunisia, 1959. Il quartiere delle luci rosse.

135. Verona 1959. Il manicomio di San Giacomo.

136. Verona 1959. Il manicomio di San Giacomo.

137. Italia 1962. Un giovane ammiratore di Sophia Loren.

138. Italia 1962. Sophia Loren sul set di *Boccaccio '70*.

139. Roma 1963. Federico Fellini.

140. Siena 1964. Il conte Guido Chigi Saracini nel suo palazzo.

Nelle pagine seguenti
141. Pavia 1962. Luchino, Edoardo e Luigi Visconti di Modrone nella Certosa.

142. Milano 1964. L'architetto Gio Ponti davanti al grattacielo Pirelli
   da lui progettato.

143. Firenze 1964. Lo storico dell'arte Roberto Longhi.

144. Milano 1964. Lo scultore Marino Marini.

145. Bologna 1963. Il pittore Giorgio Morandi.

146. Roma 1964. Lo scrittore e cineasta Cesare Zavattini.

147. Toscana 1964. Frate Placido, direttore dell'Istituto del libro nell'Abbazia benedettina di Monteoliveto Maggiore.

148. Leningrado 1975. Sulle rive della Neva.

149. Mosca 1975. Via Razin vista dalla finestra dell'albergo Rossija.

150. Berlino Ovest 1982. Monumento.

151. Berlino Ovest 1982. Monumento.

NOTA TECNICA

Nel corso della mia attività professionale, iniziata nel 1936, ho usato macchine fotografiche da 35 mm, perché le trovavo più adatte al mio tipo di lavoro. In un primo tempo mi sono servito delle Leica, di cui ho utilizzato via via i vari modelli fino al modello M3.

Dal 1939 ho anche adottato le Rolleiflex.

Nel 1959 ho sostituito le Rolleiflex con le Hasselbad e il loro ricco corredo di obiettivi. Quando nel 1960 mio cognato si recò a Tokyo per affari, approfittai del suo viaggio per procurarmi delle macchine fotografiche giapponesi che non avevo mai visto, ma di cui mi aveva parlato un vecchio amico, David Douglas Duncan, e da allora ho usato anche le Nikon.

A settant'anni ho deciso di limitare la mia attrezzatura alle macchine da 35 mm.

Attualmente uso una Nikon N2020 con messa a fuoco automatica che semplifica la vita a un fotografo costretto, come me, a portare occhiali con lenti bifocali.

Per quanto riguarda poi le pellicole ho sempre usato solo Kodak: Panatomic, Panatomic X, Plus X, Double X e adesso Tri X per il bianco e nero. Anche in laboratorio uso prodotti Kodak.

Le stampe per questa mostra sono state realizzate su carta Kodabromide da Carmine Ercolano.

Finito di stampare nell'ottobre 1986
per conto della Ing. C. Olivetti & C., S.p.A.
presso le Grafiche Milani, Segrate (Milano)
Fotolitografia De Pedrini, Milano
Testi in Times di Advertype, Milano